# Mi primer libro sobre
# Ellas

© Del texto: Marta Rivera de la Cruz, 2011
© De las ilustraciones: Cecilia Varela, 2011
© De esta edición: Grupo Anaya, S.A., 2011
Juan Ignacio Luca de Tena, 15. 28027 Madrid
www.anayainfantilyjuvenil.com
e-mail: anayainfantilyjuvenil@anaya.es

Primera edición, febrero 2011

ISBN: 978-84-667-9531-9
Depósito legal: Bi. 2652/2011

Impreso en Gráficas Muriel, S.A.
C/ Investigación, 9
Polígono Industrial Los Olivos
28906 Getafe (Madrid)
Impreso en España - Printed in Spain

Las normas ortográficas seguidas son las establecidas
por la Real Academia Española en la nueva
**Ortografía de la lengua española**, publicada en el año 2010.

# Mi primer libro sobre Ellas

**Marta Rivera de la Cruz**

Ilustraciones
de Cecilia Varela

ANAYA

A Carlos y a sus amigos les han pedido en el colegio que elijan a una persona admirable para hablar de ella al resto de la clase.

—¿Una persona admirable? —pregunta Samuel—. ¿Dónde encontraremos a alguien así?

No saben muy bien por dónde empezar, pero a Berta se le ocurre una idea: pedir ayuda a los mayores.

Carlos va a ver a su abuelo,
que trabaja en el Museo del Prado,
quien le cuenta la historia de una
mujer a la que retrató el pintor
Francisco de Goya.

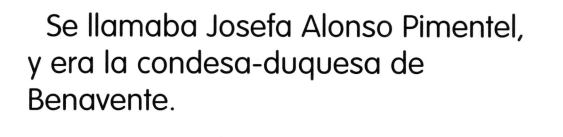

Se llamaba Josefa Alonso Pimentel,
y era la condesa-duquesa de
Benavente.

Era una persona muy culta, que hablaba varios idiomas, tenía una gran biblioteca y protegía a muchos artistas.

Fue ella quien ayudó a Goya a darse a conocer como pintor.

Si no hubiese sido por su apoyo, muchos de sus más grandes cuadros quizá nunca se hubiesen pintado.

Mei va a preguntar a su abuela Liu. Ella le habla de María Guerrero, que vivió en el siglo XIX y fue una gran actriz de teatro.

La llamaban María la Grande, y tenía una voz maravillosa.

A María le gustaba tanto su trabajo que incluso el día de su boda actuó en el teatro.

Aunque entonces no existía
la televisión, ni el ordenador, y hasta
el cine era mudo, María Guerrero
se hizo famosa en muchos países,
donde la admiraban y la respetaban.

Samuel pide ayuda a su tío,
que trabaja en una biblioteca.

Él le cuenta la historia de María
Moliner, que fue bibliotecaria, y
consiguió hacer un diccionario
para aprender a usar el español.

Empezó en el año 1950, con una
máquina de escribir y un montón
de fichas, sin escáner, ni ordenador
ni nada.

Cuando acabó su diccionario,
en 1966, los expertos dijeron que
era la obra más útil para conocer
bien nuestro idioma.

Manu va a ver a Tita, que es amiga de su madre. Para Tita no hay nadie más maravilloso que Anaïs Napoleón, la primera mujer fotógrafa de España, que en 1853 abrió con su marido un estudio de fotografía en Barcelona.

No solo retrató a miles de personas, sino que además fue una gran empresaria y consiguió que su negocio creciese y funcionase muy bien.

Berta va a ver a su abuela, que es la presidenta de la asociación de vecinos del barrio.

Ella le dice que siempre admiró a Clara Campoamor. Con trece años, Clara tuvo que dejar el colegio y ponerse a trabajar, aunque todas las noches leía y estudiaba hasta muy tarde.

Por eso, cuando ya era mayor, acabó el Bachillerato, fue a la universidad y se hizo abogada.

Luego, entró en política y consiguió ser diputada en el Congreso. Allí logró que las mujeres pudiesen votar.

Juancho va a ver al señor Esteban,
un viejecito muy sabio que vive
en una buhardilla llena de libros.

El señor Esteban le habla de una
escritora llamada Rosalía de Castro,
que nació en 1837 y pasó una infancia
muy difícil, alejada de sus padres
y con mala salud.

Cuando se hizo mayor, empezó a escribir versos en los que hablaba de su tierra, Galicia.

Rosalía publicó un libro de poesía escrito en gallego, que era la lengua en la que se había criado y que ya nadie usaba para escribir, aunque había sido idioma de reyes y de poetas.

Sara pide ayuda a Lola, una amiga de su madre que nació en México. Lola le cuenta que hace tiempo el de médico era un trabajo de hombres.

En su país, la primera mujer que obtuvo el título de doctora se llamaba Matilde Montoya.

Cuando comenzó sus estudios en la facultad de Medicina, algunos de sus compañeros y profesores la trataron mal.

Pero Matilde no les hizo caso, y el día que se presentó al examen de fin de carrera, el mismísimo presidente de México acudió a felicitarla.

Al día siguiente, durante la clase, Carlos y sus amigos hablan a sus compañeros de las personas admirables que han encontrado.

El profesor les felicita, y observa que todas las personas admirables que han elegido son mujeres:

—El que estas personas superaran las dificultades que les tocó vivir y lucharan por sus derechos las hace doblemente admirables, así que... ¡tenéis todos un diez!

# Curieux de savoir
## AVEC LIENS INTERNET

# Table des matières

## À quelle famille d'animaux appartient le caribou ?

Le caribou est un **cervidé**.
Cette famille compte plusieurs espèces.
L'orignal, le wapiti et le cerf de Virginie
en font aussi partie. @

- Y a-t-il plusieurs sortes de caribou? @

- Combien d'années un caribou peut-il vivre? @

- Le caribou se construit-il un abri? @

- Quels sont les pires ennemis du caribou? @

**cervidé :**
les cervidés portent des bois.

Chaque année, les troupeaux de caribous se rassemblent à l'intérieur d'une montagne sacrée. Aucun chasseur n'a encore réussi à découvrir ce lieu secret.
L'histoire que tu vas lire dans les pages suivantes s'inspire de cette légende.

# L'enfant caribou

Conte de Michel Noël
Illustré par Claudine Vivier

Dans le village des **Naskapis** la colère gronde.
Les chasseurs sont rassemblés autour du feu.
Ils se questionnent :
– Pourquoi les caribous ont-il fui notre territoire ?

**Naskapis :**
Les Naskapis font partie de la famille algonquienne.
Leur territoire se situe près du Labrador.

Pour ne pas inquiéter les enfants,
les mères se parlent à voix basse :
– Qu'allons-nous manger cet hiver ?
– Avec quoi fabriquerons-nous
nos vêtements ?
– Où trouverons-nous les peaux
pour recouvrir nos tentes ?
– Il faut demander à Mishta Napéo.

Mishta Napéo est un vieil homme
très sage. Il voit tout, il entend tout,
il sait tout. Dans les moments graves,
les Naskapis lui demandent
de consulter le Grand Esprit.

Grand Esprit:
Chez les Amérindiens, le Grand Esprit est le nom
qu'on donne au Créateur de l'univers.

Mishta Napéo frappe sur son tambour.
Dès les premières mesures,
le tambour devient aussi lumineux
que le soleil. Mishta Napéo prie
et chante. Ses pieds battent le sol
comme s'ils le piétinaient à coups
de sabots.
– Il faut marcher vers le nord
à la recherche des caribous, dit-il.

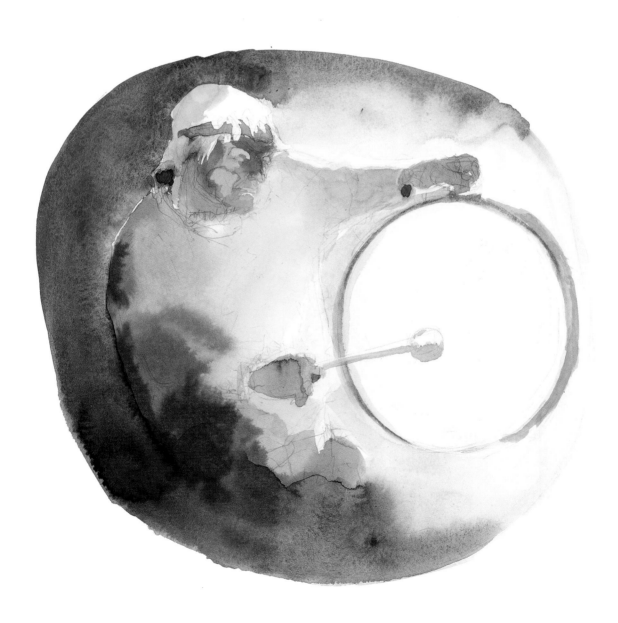

Personne ne bouge. Les hommes
courbent le dos et baissent la tête.
L'un d'eux murmure :
– Je n'ai plus qu'une vieille peau
tout usée pour me couvrir.
Je marche pieds nus. Comment
pourrais-je chasser sans mocassins ?

C'est Nessipi qui se lève. Il s'écrie :
– Je suis prêt à marcher jusqu'au bout de mes forces !
Nessipi est encore un enfant mais il est courageux.
C'est un **Brave**. Mishta Napéo sourit.
Il lui remet une pochette
toute blanche en peau
de caribou :
– Prends ce sac et garde-le
précieusement, il te sera utile.

**Brave :**
Chez les Amérindiens, le titre de Brave est accordé
à ceux qui possèdent de grandes qualités.

Pendant des heures, Nessipi marche
dans la neige et chante :
– Amis caribous, où êtes-vous ?
Je vous cherche partout.
Il oublie ainsi qu'il a froid
jusqu'aux os et qu'il meurt de faim.
Un vent glacial souffle sur la **toundra**.
La tempête se lève et il n'y a
aucun abri où se réfugier.

**toundra :**
La toundra est la zone de végétation située
au nord de la forêt boréale.

Nessipi se souvient du petit sac :
– Peut-être contient-il un peu de **pemmican**, espère-t-il.
Le garçon dénoue le lacet de cuir et souffle dans le sac
pour l'ouvrir. Il est ébloui par un éclair de lumière.
Une tente chaude et confortable apparaît devant lui.
Nessipi est épuisé. Il se glisse à l'intérieur et s'endort
aussitôt.

**pemmican :**
Le pemmican est un mets traditionnel amérindien
à base de viande séchée, de graisse et de fruits.

Le lendemain matin, Nessipi est réveillé
par un drôle de bruit.  La tente
est secouée dans tous les sens.
Le garçon passe sa tête par l'ouverture :
– Oh !
Nessipi croit rêver. Un énorme caribou
est en train de déneiger son abri
avec ses longues pattes poilues.

C'est une femelle.
Elle est blanche comme
l'écume des vagues.
Elle s'adresse à lui
d'une voix douce :
– Le vent a porté ta chanson
et je l'ai entendue. Viens,
je t'emmène avec moi.
Nessipi empoigne les longs poils
du cou de la bête
et monte sur son dos.

13

La femelle caribou s'élance aussitôt.
Elle galope à travers la toundra
avec l'enfant. Au coucher du soleil,
ils pénètrent à l'intérieur d'une montagne
en forme de **shaputuan**.
Les parois sont tapissées de longs poils
soyeux. Des milliers de caribous y sont
rassemblés.

**shaputuan :**
Le shaputuan est un lieu de réunion
où se déroulent les événements importants.

Les bêtes entourent Nessipi :
– Les Naskapis ont tué trop de caribous.
– Ils ont manqué de respect à nos frères.
Le garçon écoute attentivement
tous les reproches. Il promet
de les transmettre aux siens.

Le retour de Nessipi au village crée
un grand émoi. Monté sur la femelle
caribou, le garçon porte un vêtement
de peau tout neuf. Il explique:
– Les caribous reviendront dans
la toundra à condition que les Naskapis
acceptent de ne chasser que les animaux
dont ils ont besoin pour leur survie.

Les chasseurs réfléchissent longuement.
Finalement, ils s'engagent à ne plus
jamais gaspiller la viande et la peau
des bêtes en les laissant pourrir sur place.
Les jours suivants, les Naskapis attendent
avec anxiété. Un matin, un bruit sourd
fait trembler le sol. Mishta Napéo s'écrie :
– Les caribous !

Tout le village s'empresse de grimper
jusqu'au sommet de la colline.
Ils aperçoivent Nessipi qui chevauche
la femelle caribou à la tête d'un immense
troupeau :
– Sauvés ! Nous sommes sauvés !
soupirent les chasseurs avec soulagement.

Cette entente entre les hommes et les bêtes
a été conclue il y a très longtemps.
Mais aujourd'hui encore, des chasseurs
racontent qu'ils ont vu Nessipi galoper
sur sa monture blanche au milieu
des grands troupeaux de caribous.

# Ouvre l'œil !

**Le caribou des bois est l'une des cinq sous-espèces de caribous qui vivent au Canada et en Alaska.** @

**1** Le corps

Le corps **trapu** du caribou est de taille moyenne.

> **trapu :**
> un corps trapu est court et large.
> Il donne une impression de force.

**2** Les bois

Les bois du caribou tombent et repoussent chaque année.

**3** Les oreilles

Les oreilles du caribou sont courtes et arrondies.
Il a une ouïe très fine.

**4** Les yeux

Sa vue est plutôt faible, mais il peut
distinguer des mouvements.

**5** Le museau

Son museau est recouvert de poils.
Son odorat est très développé.

**6** Le fanon

Une collerette de poils, appelée fanon,
s'étend de sa gorge à sa poitrine.

**7** Les sabots

Ses larges sabots lui permettent
de moins s'enfoncer quand il marche
dans la neige et dans les marécages.

**8** La queue

La queue du caribou est poilue
et blanchâtre.

**Le caribou possède de longs poils creux, appelés jarres.**
Les petites bulles d'air contenues dans les jarres rendent son pelage très léger. Cela lui permet de flotter sans difficulté. @

**Le poil de bourre pousse sous les jarres.**
En hiver, il devient très épais. Ainsi protégé du vent et du froid, le caribou peut affronter des températures pouvant atteindre −50 °C.

**Le caribou mue dès la fin du printemps jusqu'au début de l'été.**
Un pelage plus foncé remplace les poils qu'il a perdus. @

22

Le caribou est le seul cervidé
dont le mâle et la femelle portent des bois.
Ceux du mâle sont plus grands.
Ils tombent à la fin de l'automne,
après l'accouplement. La femelle
conserve généralement les siens
jusqu'à la naissance de son petit. @

**Les sabots du caribou
sont divisés en deux parties
appelées onglons.**
Quand le caribou se déplace,
les onglons s'écartent
vers l'extérieur afin de
bien soutenir son poids. @

Les ergots aident aussi à supporter
le poids du caribou.
Ces grosses pointes dures
sont placées derrière chacun
de ses pieds.

# Le champion de la migration

Au printemps, les caribous entreprennent un long voyage vers le nord.

Ils quittent la **forêt boréale** et parcourent des centaines de kilomètres en suivant les lacs et les rivières gelées. @

**forêt boréale :**
dans la forêt boréale, on trouve des conifères et des arbres à feuilles.

Les femelles qui attendent un petit guident le troupeau. Elles sont suivies des jeunes caribous, des mâles adultes et des autres femelles. @

Les faons naissent vers la fin du mois de mai. Deux heures après leur naissance, ils peuvent suivre leur mère pour rejoindre le troupeau. @

Dans la toundra, les caribous se régalent.
Ils mangent des lichens, des mousses, des fleurs,
des feuilles et des rameaux de petits arbustes. @

Dès juillet, les troupeaux commencent
à descendre vers le sud.
Ils traversent à la nage les lacs et les rivières.
À la fin du mois de septembre, ils arrivent
à la limite de la forêt. @

Pendant l'hiver, la nourriture est moins
abondante.
Les caribous mangent les lichens
accrochés aux arbres. Ils doivent aussi
gratter avec leurs sabots pour atteindre
les lichens cachés sous la neige. @

lichens :
le lichen est composé d'une algue et d'un champignon.
Leur union assure la survie de la plante.

25

# Imagine

Le nom du caribou est d'origine amérindienne.
Les **Micmacs** l'appelaient kalibu. Ce mot signifie
«celui qui creuse pour trouver sa nourriture». @

> **Micmacs:**
> Les Micmacs sont des Amérindiens de la famille
> algonquienne dont le territoire se situe en Gaspésie.

**Une peau de velours recouvre
les bois du caribou.**
Elle contient des petits vaisseaux
sanguins qui nourrissent les bois
pendant leur croissance.
Quand les bois ont fini
de pousser, le velours tombe.
Pour l'aider à se détacher,
le caribou frotte ses bois
contre les arbustes
et l'écorce des arbres. @

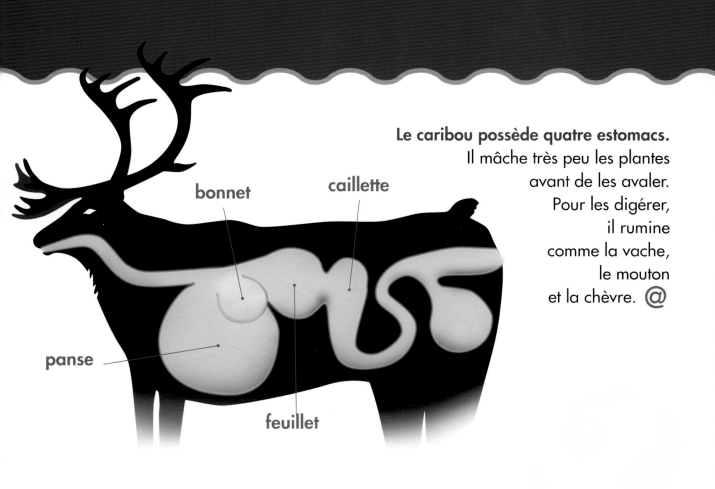

**Le caribou possède quatre estomacs.** Il mâche très peu les plantes avant de les avaler. Pour les digérer, il rumine comme la vache, le mouton et la chèvre. @

bonnet

caillette

panse

feuillet

Quelle joie de dormir sous la tente et de se réveiller au bruit des pas d'un caribou ! Au Zoo sauvage de Saint-Félicien, situé au Québec, on peut vivre 24 heures avec les caribous, dans leur habitat naturel. @

# Un animal généreux

Le caribou occupe une place importante dans la vie et la culture des Autochtones.
Il apparaît souvent dans leurs dessins et leurs sculptures. @

Autochtones :
les Autochtones habitent le territoire de leurs ancêtres.
Au Canada, ce sont les Amérindiens et les Inuits.

Autrefois, ils utilisaient toutes les parties de son corps pour survivre.
La viande était grillée, mijotée, séchée. @

La fourrure servait à la confection de vêtements chauds.

On taillait des outils dans les os et les bois. @

Les tendons se transformaient en fil à coudre. @

Les phalanges servaient à la fabrication d'un jouet appelé bilboquet. @

phalanges :
les phalanges sont les os du pied du caribou.

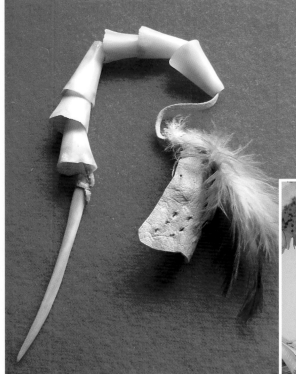

Aujourd'hui encore, la peau du caribou est découpée en lanières qui servent à tresser les raquettes à neige. @

**1** Parmi ces photos, reconnais-tu la nourriture principale du caribou en hiver ?

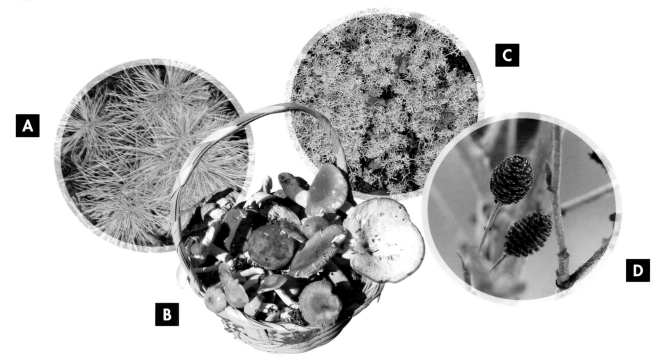

**2** Qu'est-ce qui ne va pas dans ce portrait de famille ?

Réponses : **1 •** Le lichen est la nourriture principale du caribou en hiver. On le reconnaît sur la photo C. **2 •** La chèvre ne fait pas partie de la famille des cervidés.

**3** Tous ces animaux ont quelque chose en commun avec le caribou. Qu'est-ce que c'est?

**4** Les couteaux utilisés par les Amérindiens sont appelés couteaux croches.

Parmi ces couteaux croches, trouve celui dont le manche a été fabriqué avec un os de caribou.

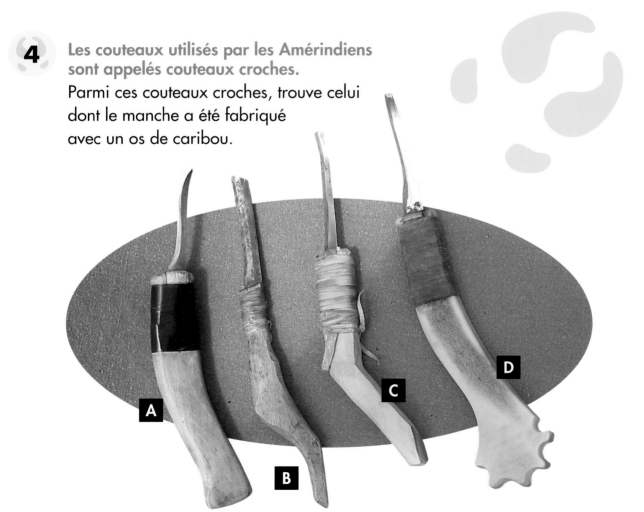

## Réponds par VRAI ou FAUX aux affirmations suivantes.

**(Sers-toi du numéro de page indiqué pour vérifier ta réponse.)**

**1** Le cerf de Virginie est aussi un cervidé.
PAGE 2

**3** Les jarres sont de longs poils creux.
PAGE 22

**2** Le caribou a une vue perçante.
PAGE 20

**4** Les bois du mâle tombent après l'accouplement.
PAGE 23

**5** Ce sont les jeunes mâles qui guident le troupeau vers le nord.
PAGE 24

**6** Le caribou doit son nom au fait qu'il creuse la terre pour trouver sa nourriture.
PAGE 26

**7** Les tendons du caribou servent à tresser les raquettes à neige.
PAGE 29

Réponses : 1 VRAI  2 FAUX  3 VRAI  4 VRAI  5 FAUX  6 VRAI  7 FAUX

## Catalogage avant publication de Bibliothèque et Archives Canada

Roberge, Sylvie

**Le caribou**

(Curieux de savoir : avec liens Internet)
Comprend un index.
Sommaire: L'enfant caribou / texte de Michel Noël.
Pour enfants de 6 ans et plus.

ISBN 978-2-89512-503-7

1. Caribou – Ouvrages pour la jeunesse. 2. Caribou – Romans, nouvelles, etc. pour la jeunesse. I. Vivier, Claudine. II. Noël, Michel, 1944-   . Enfant caribou. III. Titre. IV. Collection : Curieux de savoir.

QL737.U55R62 2007    j599.65'8    C2006-941786-5

**Direction artistique, recherche et texte documentaire, liens Internet:** Sylvie Roberge

**Direction artistique de la couverture :** Marie-Josée Legault

**Graphisme et mise en pages :** Dominique Simard

**Illustration du conte, de la première de couverture, dessins de la table des matières et des pages 2-20-21-24-30 :** Claudine Vivier

**Dessins des pages 27-31 :** Guillaume Blanchet

**Photographies :**

© Jean Désy, page 24 (milieu)

© Sylvie Roberge, pages 1 de couverture, 22, 23, 25 (haut, bas à droite), 26 (bas), 27, 28, 29, 30, 31

© François Veillet, 25 (milieu)

© Zoo sauvage de Saint-Félicien, pages 24 (haut), 25 (bas à gauche), 26 (haut)

**Autres sources**

Collection Michel Noël, page 29 (haut, milieu), 31

Collection Sylvain Rivard, page 28 (bas)

Fédération des coopératives du Nouveau-Québec, page 28 (haut)

**Révision et correction :**

Marie-Thérèse Duval et Corinne Kraschewski

Nous remercions le Conseil des Arts du Canada de l'aide accordée à notre programme de publication.

Nous reconnaissons l'aide financière du gouvernement du Canada par l'entremise du Programme d'aide au développement de l'industrie de l'édition (PADIÉ) pour nos activités d'édition.

Nous reconnaissons l'aide financière du gouvernement du Québec par l'entremise du Programme de crédit d'impôt pour l'édition de livres – SODEC – et du Programme d'aide aux entreprises du livre et de l'édition spécialisée.

© Les Éditions Héritage inc. 2007
Tous droits réservés
Dépôt légal : 2e trimestre 2007
Bibliothèque et Archives du Québec
Bibliothèque nationale du Canada

**Dominique et compagnie**
300, rue Arran, Saint-Lambert (Québec) J4R 1K5
Téléphone : 514 875-0327; Télécopieur : 450 672-5448
Courriel : dominiqueetcompagnie@editionsheritage.com

Imprimé en Chine
10 9 8 7 6 5 4 3 2 1

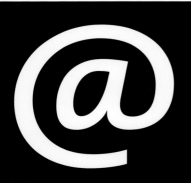

# Curieux de savoir

**AVEC LIENS INTERNET** offre une foule d'informations aux enfants curieux. Le signe @ t'invite à visiter la page **www.dominiqueetcompagnie.com/pedagogie** afin d'en savoir plus sur les sujets qui t'intéressent.